Róisín agus an Sionnach

Colmán Ó Raghallaigh

a scríobh

Aoife Ní Raghallaigh

a mhaisigh

Ⓖ An Gúm

Baile Átha Cliath

Maidin amháin dhúisigh Róisín go moch. Bhí an geimhreadh ann agus bhí leisce uirthi éirí amach as a leaba chompordach. Tar éis tamaill shuigh sí suas díreach sa leaba agus chuimil sí a súile. Bhí na cuirtíní fós dúnta ach bhí an seomra geal agus bhí Róisín in ann an bráisléad álainn a thug Daidí di dá breithlá a fheiceáil ar an mbord cois leapa. Ó b'aoibhinn léi an bráisléad sin.

Léim sí as an leaba agus d'oscail sí na cuirtíní beagán. Tháinig sceitimíní uirthi! Sneachta! Bhí brat bán sneachta ar an áit go léir. D'fhan sí soicind amháin ag breathnú air. Ansin lig sí liú áthais aisti a chuir faitíos a chraicinn ar Phutóg a bhí fós ina chodladh ag bun na leapa!

Níor thóg sé ach nóiméad ar Róisín
a cuid éadaigh a chur uirthi. Agus
a bráisléad álainn ar ndóigh!
Síos léi ansin ar luas lasrach go
dtí an chistin, áit a raibh
Daidí ag ullmhú an
bhricfeasta.
'Agus cén fáth a bhfuil tusa i
do shuí chomh luath seo maidin
Shathairn, a Róisín?' ar seisean go magúil.
'Nach bhfuil sé go hiontach, a Dhaid?' ar sise.
'Tá go deimhin, a thaisce,' ar seisean go cineálta,
'go hiontach ar fad.'

Bhí Róisín ar bís le dul amach ag spraoi ach bhí uisce lena fiacla leis an mboladh ón bhfriochtán.
'Mmm...Is breá liom ispíní,' ar sise.

'Mise freisin,' arsa Ciarán ag teacht anuas an staighre agus é fós ag tarraingt air a gheansaí.
'Bíonn deartháireacha mall i gcónaí!' arsa Róisín léi féin agus thosaigh siad ag ithe.

Níorbh fhada go raibh an bheirt acu ag rith go sceitimíneach amach sa ghairdín agus gach béic astu! Agus faoin am a tháinig Daid amach leis an gceamara bhí fear sneachta galánta déanta acu.

'Maith sibh,' ar seisean. 'Seasaigí isteach anois go dtóga mé grianghraf.'

Bhí an grianghraf díreach tógtha nuair a chonaic Róisín an sionnach. Bhí sé ina sheasamh ar thaobh an chlaí agus é ag féachaint go fiosrach orthu. Bhí gliondar ar Róisín.

'Tá cuairteoir againn!' ar sise.

'Cuairteoir?' arsa Daid agus é ag casadh timpeall. Nuair a chonaic sé an sionnach bhí iontas air.

'Meas tú céard a thug anseo é?' arsa Ciarán. 'An t-ocras b'fhéidir . . .'

'B'fhéidir é,' arsa Daid, 'ach ón méid atá ann déarfainn gur sionnach baineann atá ann. Ach fanaigí socair nóiméad go dtóga mé grianghraf di.'

Ach chomh luath agus a d'airigh an sionnach clic an cheamara d'imigh sí léi go gasta.

'Meas tú an bhfeicfimid arís í, a Dhaid?' arsa Róisín.

'B'fhéidir, a stór, ní bheadh a fhios agat . . .'

Tar éis an dinnéir thug Róisín aghaidh ar an mbaile mór.
Níorbh fhada gur bhain sí amach an leabharlann agus
isteach léi.
'An bhfuil leabhar ar bith agat faoin sionnach, le do
thoil?' ar sise leis an gcailín.
'An sionnach! Fan go bhfeice mé.'
Síos leo go dtí rannóg na n-ainmhithe agus thosaigh siad
ag cuartú. Ba ghearr go raibh leabhar álainn lándaite
faoin sionnach aimsithe aici. Stampáil sí an dáta air agus
abhaile le Róisín go sona sásta.

An oíche sin chaith Róisín dhá uair an chloig sínte ar an leaba le Putóg agus í ag léamh faoin sionnach.
'San earrach a bheirtear na sionnaigh óga, a Phutóg,' ar sise leis ach faoin am sin bhí Putóg ag éirí cantalach mar bhí sé tuirseach.

'Ná bíodh imní ar bith ort, a pheata,' arsa Róisín leis ar ball, 'níl tada anseo faoin sionnach a bheith ag ithe cat!'
'Mí-eamh!' arsa Putóg agus síos go bun na leapa leis. Bhí Róisín ag gáire agus an solas á chur as aici.

Chodail Róisín go sámh an oíche sin. Nuair a dhúisigh sí an mhaidin dár gcionn ba é an chéad rud a rinne sí ná féachaint amach. Buíochas le Dia! Bhí an sneachta fós ann agus cuma álainn ar an tír máguaird. Bheadh spraoi agus spórt aici féin agus ag Ciarán.

Cúpla oíche ina dhiaidh sin dhúisigh Róisín. Mheas sí gur chuala sí torann éigin. D'éist sí ar feadh cúpla nóiméad. B'in é arís é! Cleatráil ar chúl an tí. Ach ... céard a bhí ann?

D'éirigh Róisín agus d'oscail sí na cuirtíní beagán. Bhí an brat bán sneachta fós ann agus an ghealach lán ina suí. Ansin chonaic sí an sionnach ... thíos ag bun an ghairdín! Bhí sí ag éirí suas ar a cosa deiridh agus í ag iarraidh a cloigeann a chur isteach sa channa dramhaíola. Ach bhí an claibín ró-chúng di. Léim croí Róisín le háthas. Bhí an sionnach ar ais. Agus oíche amárach ní bheadh sí gan greim le hithe . . .

An mhaidin dár gcionn d'éirigh Róisín go sceitimíneach agus d'inis sí an scéal dá Mamaí.

'Tá mé cinnte go dtiocfaidh sí arís anocht, a Mhamaí. Caithfidh mé greim le hithe a fhágáil amach di. Tá an aimsir an-fhuar agus mairfidh an sneachta tamall eile fós.'

'Mmm,' arsa Mamaí ach ba léir nach raibh sí ró-chinnte faoin scéal.

Ach bhí Róisín lán-chinnte de! Díreach tar éis an bhricfeasta isteach léi go dtí an baile mór arís. Ach is go dtí siopa an bhúistéara a chuaigh sí an babhta seo.

'Ní raibh a fhios agam go raibh madra agaibhse, a Róisín,' arsa an búistéir léi agus é ag tabhairt mála mór feola agus cnámha di.

'Bhuel ... tá agus níl,' arsa Róisín. 'Is madra cineál speisialta é... an dtuigeann tú?'

'Tá faitíos orm nach dtuigeann, a stór,' arsa an búistéir agus é ag gáire, 'ach tá súil agam go dtaitneoidh an bia seo leis ar chaoi ar bith!'

'Go raibh maith agat,' arsa Róisín agus as go brách léi.

Bhí an oíche ag titim nuair a d'fhág Róisín an mhias ag bun an ghairdín. Thosaigh Ciarán ag spochadh aisti.

'Beidh béile breá ag madraí na gcomharsan,' ar seisean agus meangadh gáire air.

'Mise á rá leat go dtiocfaidh an sionnach,' arsa Róisín go daingean.

Thóg sé i bhfad ar Róisín dul a chodladh an oíche sin. Bhí imní uirthi. B'fhéidir go raibh an ceart ag a deartháir. Ach fós féin bhí dóchas láidir ina croí. Ar ball dhúisigh sí. D'éist sí gur airigh sí torann. Bhí rud éigin taobh amuigh! Léim sí as an leaba agus rith sí chuig an bhfuinneog. Líon a croí le gliondar. An sionnach a bhí ann agus í ag ithe léi ar a sáimhín só faoi sholas na gealaí.

'Bhí a fhios agam go dtiocfadh sí,' ar sise, 'bhí a fhios agam go dtiocfadh!'

Bhí cara nua ag Róisín anois agus lean an scéal mar sin ar feadh cúpla seachtain. D'fhágadh Róisín an bia don sionnach agus thagadh sí gan teip. De réir a chéile chuir Róisín agus an sionnach aithne ar a chéile.

Gach oíche d'fhágadh Róisín an mhias níos gaire don teach. D'fheiceadh an sionnach Róisín taobh istigh den fhuinneog ach ní thugadh sí aird ar bith uirthi.

Ach le teacht an earraigh tháinig athrú mór ar an scéal. Ní raibh cara Róisín ag teacht níos mó agus bhí Róisín buartha.

Ansin tráthnóna amháin agus Róisín ina seomra tháinig Daidí abhaile agus cuma an-sásta air.

'A Róisín, fan go gcloise tú é seo,' ar seisean. 'Bhí mé ag tiomáint abhaile ar an mbóithrín cúil gar do Chnoc an Aitinn agus chonaic mé trí choileán sionnaigh. Cuirfidh mé geall gur le do chara iad,' ar seisean.

Ní dhearna Róisín ach póg a thabhairt dó agus dul de ruathar síos an staighre.

Stop sí nóiméad sa halla agus chuir sí uirthi a cóta agus a hata.

'Tá mé ag dul ar shiúlóid bheag, a Mhamaí,' ar sise. 'Beidh mé ar ais don tae.'

'Tá go maith, a stór, tabhair aire,' arsa Mamaí. Ach bhí Róisín imithe cheana féin.

Bhí fios a bealaigh go maith ag Róisín. Síos léi an bóithrín cúng ar chúl an tí. Ar ball beag chas sí isteach faoi gheata páirce agus lean sí an cosán le hais an chlaí. Chuaigh sí thar an seandroichead ag bun na páirce. Bhí Cnoc an Aitinn roimpi amach anois agus thosaigh sí ag siúl go mall ina threo. Níor mhaith léi na coileáin bheaga a scanrú . . .

Go tobann stop sí. Phreab coileán beag sionnaigh amach as na toir aitinn ar thaobh an chnocáin.

An chéad rud eile bhí an dara agus an tríú coileán leis, iad ag rith agus ag spraoi agus gan a fhios acu go raibh aon rud beo sa saol ach iad féin! Chaith Róisín tamall fada ag féachaint orthu – a croí ag preabadh agus í faoi dhraíocht. Ansin ar bharr an chnocáin d'airigh sí an mháthair agus í ag coinneáil súil ghéar uirthi féin.

Bhí sé ag éirí dorcha anois agus thuig sí go raibh sé thar am di brostú abhaile . . .

'Tiocfaidh mé ar ais amárach,' ar sise, 'agus tabharfaidh mé an ceamara liom.'

Chas Róisín le dul abhaile. Bhí a fhios aici go mbeadh Mamaí ag éirí buartha fúithi agus bhí deifir uirthi anois. Bhí sí díreach ar tí rith trasna an droichid nuair a shleamhnaigh sí. Rinne sí iarracht í féin a stopadh ach bhí sí ró-dheireanach.

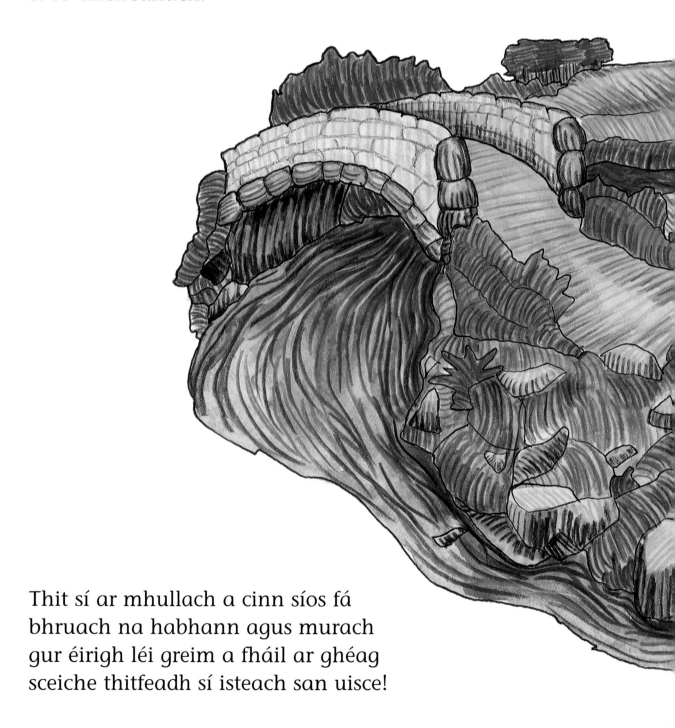

Thit sí ar mhullach a cinn síos fá bhruach na habhann agus murach gur éirigh léi greim a fháil ar ghéag sceiche thitfeadh sí isteach san uisce!

Rinne Róisín iarracht í féin a tharraingt amach ach ní raibh aon mhaith ann. Bhí sí greamaithe idir sceacha agus driseacha den uile chineál. Ní hamháin sin ach bhí cor éigin bainte as a cos aici agus ghortaigh sí go géar í chomh luath agus a rinne sí aon iarracht corraí.

Bheadh uirthi cabhair a fháil . . .

Ach cén chaoi?

Bhí sí rófhada ón teach le go gcloisfeadh aon duine í.

Bhreathnaigh sí suas agus bhí súile móra an tsionnaigh ag stánadh anuas uirthi.

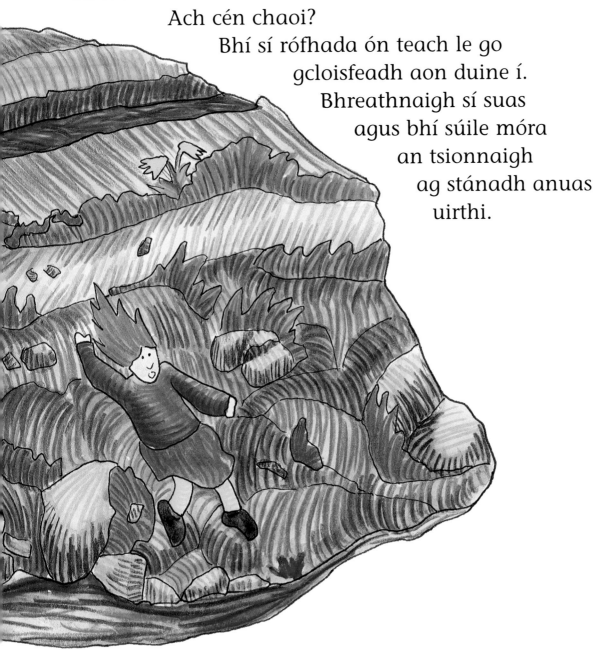

'Meas tú cá bhfuil an cailín sin nó cén mhoill atá uirthi?'
arsa Mamaí le Ciarán agus í ag réiteach an bhoird don
tae.

'Níl a fhios agam beo, a Mham,' ar seisean, 'ní fhaca mé í
ar chor ar bith.'

'Cé tá i gceist agaibh?' arsa Daid agus é ag teacht isteach
sa chistin.

'Róisín,' arsa Mamaí, 'tá sí imithe le fada.' Agus bhí imní
ina glór.

Sula raibh deis ag Daidí a rá go raibh tuairim mhaith aige
féin cá raibh sí, lig Ciarán scairt as agus shín sé a mhéar i
dtreo an ghairdín chúil.

Cé a bhí amuigh ann ach an sionnach agus í ag siúl suas síos go mífhoighdeach. Amach le Ciarán. Sheas an sionnach gan cor aisti agus hata Róisín ina béal.

'A Dhaid!' ar seisean, 'tar uait go beo. Tá rud éigin tarlaithe do Róisín.'

D'imigh an sionnach píosa beag agus stop sí. Nuair a chonaic sí go raibh an triúr á leanúint ar aghaidh léi arís.

Agus iad ag tarraingt ar an droichead chuala siad glór Róisín agus cé go raibh sé dorcha go maith d'aimsigh siad í gan mhoill. Níor thóg sé ach cúpla nóiméad orthu an cailín bocht a tharraingt as an tsáinn ina raibh sí. D'inis sí dóibh go brónach céard a tharla di agus scrúdaigh Mamaí a cos.

'Ní dóigh liom go bhfuil mórán dochair déanta,' ar sise, 'ach gur baineadh geit mhór asat agus go bhfuil tú scríobtha ag na diabhail driseacha sin.'

'Agus dóite ag na neantóga freisin!' arsa Róisín agus na deora léi.

'Go réidh anois, a stór,' arsa Daid agus í á cur suas ar a dhroim aige. Rachaimid abhaile anois.'

Ba ansin a thug Róisín faoi deara nach raibh a bráisléad álainn ar a rosta níos mó. Ó bhó! Bhí sí croíbhriste. Ach ní dúirt sí tada le Daid.

Seachtain ina dhiaidh sin bhí Róisín amuigh sa ghairdín.
Cé go raibh sí tagtha chuici féin bhí sí fós faoi bhrón.
Chaithfeadh sí a insint dá Daid luath nó mall go raibh an
bráisléad álainn caillte aici.
An chéad rud eile cad a chonaic sí ag teacht ó na sceacha
ag bun an ghairdín ach an sionnach.

Agus b'in ina béal a bráisléad.
Líon croí Róisín le háthas. Lig an sionnach don
bhráisléad titim ar an gcosán. Chroith sí a heireaball
cúpla uair agus bhailigh léi arís. Ní raibh aon dabht faoi.
Bhí an cara is fearr ar domhan ag Róisín.